NOTRE-DAME

KEN FOLLETT

NOTRE-DAME

traduit de l'anglais par Odile Demange

Les bénéfices de l'éditeur et les droits d'auteur
seront reversés à la Fondation du patrimoine.

ROBERT
Laffont

Titre original : NOTRE-DAME
© Ken Follett, 2019
Traduction française : Éditions Robert Laffont,
S.A.S., Paris, 2019

ISBN : 978-2-221-24367-1
Dépôt légal : juin 2019

« C'était une de ces journées de printemps qui ont tant de douceur et de beauté que tout Paris, répandu dans les places et les promenades, les fête comme des dimanches. Dans ces jours de clarté, de chaleur et de sérénité, il y a une certaine heure surtout où il faut admirer le portail de Notre-Dame. C'est le moment où le soleil, déjà incliné vers le couchant, regarde presque en face la cathédrale. Ses rayons, de plus en plus horizontaux, se retirent lentement du pavé de la place, et remontent le long de la façade à pic dont ils font saillir les mille rondes-bosses sur leur ombre, tandis que la grande rose centrale flamboie comme un œil de cyclope enflammé des réverbérations de la forge. »

Victor Hugo, *Notre-Dame de Paris*

« Aujourd'hui, c'est dans toutes les langues qu'on la pleure. »

Paris Match

1.

2019

La voix au téléphone était pressante : «Je t'appelle de Paris. Mets la télé!»

J'étais chez moi, à la cuisine, avec Barbara, ma femme. Nous venions de finir de dîner. Je n'avais pas bu une goutte de vin, ce qui était une bonne chose. Je ne le savais pas encore, mais la soirée allait être longue.

C'était une vieille amie qui m'appelait. Députée et ministre, elle a surmonté bien des crises et il en faut beaucoup pour l'émouvoir. Elle semblait pourtant bouleversée.

Vous savez ce que nous avons vu à l'écran : Notre-Dame de Paris, cette merveilleuse cathédrale, un des plus grands chefs-d'œuvre de la civilisation européenne, était en flammes.

Cette image nous a stupéfiés et chavirés au plus profond de nous-mêmes. J'étais au bord des larmes. Un bien inestimable mourait sous nos yeux. C'était aussi effarant que si le sol s'était mis à trembler sous nos pieds.

Je connais bien ce bâtiment. Une année, à Noël, nous y avons assisté à la messe de minuit, Barbara et moi. Des milliers de gens se pressaient dans l'église. La lumière diffuse projetait des ombres profondes dans les allées, la nef retentissait de l'écho des cantiques et la haute voûte, au-dessus de nous, était plongée dans les ténèbres. Le plus émouvant était de savoir que pendant plus de huit cents ans, nos ancêtres avaient, comme nous, célébré Noël dans cet édifice.

Je m'étais rendu dans cette église en bien d'autres occasions. Ma première visite datait de 1966, lors de mes premières vacances hors du Royaume-Uni; je crains cependant qu'à dix-sept ans, j'aie été trop attiré par les filles de notre groupe pour m'intéresser sérieusement à une cathédrale. Et ma dernière image d'elle remontait à quatre semaines seulement, lorsque, passant en voiture sur la rive gauche, je m'étais comme toujours enivré de l'éblouissante vision de ses tours jumelles et de ses arcs-boutants.

Dès que je me suis mis à réfléchir rationnellement à ce que montrait la télévision, j'ai compris ce qui brûlait et pourquoi le feu prenait de la vigueur, des éléments qui ne pouvaient qu'échapper aux journalistes qui commentaient l'événement. Après tout, ils n'avaient pas étudié la construction des cathédrales gothiques. Je l'avais fait, moi, dans le cadre de mes recherches pour *Les Piliers de la Terre*, le roman que j'ai consacré à la construction d'une cathédrale médiévale imaginaire. Une scène clé du quatrième chapitre dépeint l'incendie de la vieille cathédrale de Kingsbridge, et je m'étais posé cette question : comment précisément une grande église de pierre prend-elle feu ?

J'étais monté dans les espaces poussiéreux situés sous les toits de cathédrales comme celles de Canterbury et de Florence. Je m'étais tenu sur les puissantes poutres qui enjambent les nefs et j'avais levé les yeux vers les chevrons qui soutiennent les plombs. J'avais remarqué les détritus desséchés qui s'accumulent souvent en de tels lieux : bouts de bois et de corde, emballages de sandwiches laissés par des ouvriers d'entretien, brindilles entremêlées de nids d'oiseaux et demeures de guêpes, fines comme du papier.

J'étais convaincu que l'incendie avait dû prendre quelque part sous le toit ; sans doute un mégot abandonné ou une étincelle due à un court-circuit avait-il embrasé des débris, qui à leur tour avaient mis le feu à la charpente. Les dégâts qui en découleraient risquaient de provoquer l'effondrement de tout le bâtiment.

Comme j'avais envie de partager cette réflexion, j'ai tweeté :

Les chevrons consistent en plusieurs centaines de tonnes de bois, vieux et très sec. S'ils brûlent, le toit s'affaissera et la chute des débris démolira le plafond voûté, qui cédera lui aussi et détruira les puissants piliers de pierre qui soutiennent tout l'édifice.

Je n'étais pas très loin de la vérité, si ce n'est que j'avais sous-estimé la solidité des piliers et des voûtes. Les uns et les autres ont souffert, mais, par bonheur, ne se sont pas entièrement écroulés.

Voici comment les choses se passent dans *Les Piliers*, sous le regard du prieur Philip :

Un fracas lui fit lever les yeux. Juste au-dessus de sa tête, un énorme madrier glissait lentement de côté et s'apprêtait à tomber sur lui. Philip plongea vers le transept sud, où Cuthbert attendait, affolé. Tout un pan du toit, trois triangles de poutres et de chevrons recouverts de feuilles de plomb étaient en train de s'effondrer. Philip et Cuthbert regardaient, figés sur place, sans penser à leur propre sécurité. Le toit s'écroula sur une des grandes arches rondes de la croisée. L'énorme poids du bois et du plomb

14

brisa la maçonnerie dans un bruit de tonnerre. Tout se passa au ralenti : les poutres tombèrent lentement, l'arche se fracassa tranquillement et la maçonnerie en miettes se répandit sans hâte sur le sol. De nouvelles poutres se trouvèrent libérées et dans un bruit comparable à un long coup de tonnerre, toute une partie du mur nord du chœur trembla et s'affaissa dans le transept nord. Philip était atterré : le spectacle de destruction d'une aussi impressionnante construction avait quelque chose d'étrangement choquant. Il lui semblait voir une montagne s'effondrer ou une rivière s'assécher : jamais il n'aurait pensé que cela pourrait arriver. Il n'en croyait pas ses yeux.

Alors que la nuit tombait, les Parisiens descendirent dans les rues et les caméras de télévision filmèrent des milliers de visages affligés éclairés par les flammes ; certains chantaient des cantiques, d'autres pleuraient en regardant brûler leur cathédrale bien-aimée. Le tweet qui a suscité la réaction la plus sincère de mes abonnés cette nuit-là disait simplement :

Français, Françaises, nous partageons votre tristesse.

J'aurais dû écrire « nous partageons » avec un *e*, mais personne ne m'en a fait grief.

Il y a des gens plus savants que moi sur les cathédrales médiévales, mais les journalistes ignorent leurs noms. Ils connaissent le mien grâce à mes livres, et ils savent qu'il est question d'une cathédrale dans *Les Piliers*, ce qui explique que des messages des salles de rédaction aient commencé à me parvenir quelques minutes plus tard. J'ai passé la soirée à donner des interviews à la télévision, à la radio et à la presse écrite, expliquant en anglais et en français ce qui se passait sur l'île de la Cité.

Et pendant que je parlais, je regardais.

La flèche centrale, fine comme une aiguille et haute de quatre-vingt-treize mètres, avait pu être le foyer de l'incendie et elle était à présent dévorée par les flammes. Elle était faite de cinq cents tonnes de poutres de chêne surmontées d'un toit de plomb de deux cent cinquante tonnes, et le bois qui se consumait n'a pas tardé à être trop faible pour supporter la charge d'une telle masse de plomb. Le moment le plus terrifiant de la soirée, pour la foule consternée qui se massait dans les rues comme pour les millions de téléspectateurs atterrés, a été celui où la flèche a basculé sur le côté, s'est brisée comme une allumette et s'est enfoncée à travers le toit embrasé de la nef.

Notre-Dame avait toujours paru éternelle, et les bâtisseurs du Moyen Âge avaient certainement pensé qu'elle durerait jusqu'au Jugement dernier ; nous découvrions soudain qu'elle était destructible. Il y a dans la vie de chaque petit garçon un moment douloureux où il prend conscience que son père n'est pas tout-puissant ni invulnérable. Il a des faiblesses, il peut tomber malade et, un jour, il mourra. La chute de la flèche m'a fait penser à ce moment.

Je m'attendais à ce que la nef ne soit plus que ruine. J'ai cru apercevoir des flammes dans une des tours, et je savais que si elles tombaient, toute l'église serait détruite.

Le président Macron, un chef d'État qui s'est lancé dans une modernisation radicale de son pays et affronte l'opposition âpre et violente de ceux qui n'apprécient pas ses réformes, a pris la parole devant les caméras de télévision et s'est affirmé, l'espace d'un instant du moins, comme le chef incontesté d'une nation française unie. Il a impressionné le monde entier et a fait monter les larmes aux yeux du Gallois que je suis en affirmant avec une assurance inébranlable : « Nous rebâtirons. »

Je suis allé me coucher à minuit, réglant mon réveil sur quatre heures et demie du matin, mon dernier interlocuteur téléphonique m'ayant demandé de participer à une émission de télévision le lendemain de très bonne heure.

Redoutant que le soleil ne se lève sur un tas de gravats fumants sur l'île de la Cité, là où Notre-Dame s'était si fièrement dressée, j'ai été profondément réconforté à mon réveil de constater que la plupart des murs étaient toujours debout, tout comme la grandiose paire de tours carrées à l'extrémité ouest. La situation était moins grave que tout le monde ne l'avait craint, et je me suis rendu au studio de télévision porteur d'un message d'espoir.

J'ai passé le mardi à donner des interviews, puis, le mercredi, j'ai pris l'avion pour Paris afin de participer à un débat télévisé sur le symbolisme des cathédrales dans la littérature et dans la vie dans le cadre de l'émission *La Grande Librairie.*

Je n'ai pas envisagé un instant de rester chez moi. Notre-Dame est trop chère à mon cœur. Je ne suis pas croyant, ce qui ne m'empêche pas d'aller à l'église. J'adore l'architecture, la musique, les paroles de la Bible ainsi que le sentiment de partager quelque chose de profond avec autrui. J'ai longtemps éprouvé une authentique paix spirituelle dans les grandes cathédrales, comme des millions de gens, croyants ou non. Et j'ai une autre raison de me sentir redevable aux cathédrales : l'amour que je leur voue m'a inspiré le roman qui est certainement mon livre le plus populaire, et sans doute le meilleur.

Emmanuel Macron a déclaré que Notre-Dame serait reconstruite en cinq ans. Un journal français a répondu par ce titre : « Macron croit aux miracles. » Pourtant, l'attachement des Français à Notre-Dame est profond. Elle a été le théâtre de plusieurs événements clés de l'histoire de France. Tous les panneaux de signalisation qui vous indiquent à quelle distance vous êtes de Paris donnent la mesure à partir du kilomètre zéro, une étoile de bronze encastrée dans le parvis de Notre-Dame. Le gros bourdon de la tour sud qui porte le nom d'Emmanuel s'entend dans toute la ville quand il fait résonner son *fa* dièse grave pour annoncer joie ou chagrin, la fin d'une guerre ou une tragédie comme le 11 Septembre.

D'autre part, il ne faut jamais sous-estimer les Français. Si quelqu'un peut relever ce défi, c'est eux.

Avant de quitter Paris pour rentrer chez moi, mon éditrice française m'a demandé si j'envisagerais d'écrire quelque chose de nouveau sur mon amour pour Notre-Dame, à la lumière du terrible événement du 15 avril. Les bénéfices de ce livre seraient reversés au fonds de reconstruction, mes droits d'auteur aussi. « Oui, ai-je répondu. Je m'y mets demain. »

Voici ce que j'ai écrit.

2.

1163

Maurice de Sully, évêque de Paris

La cathédrale de Paris était trop petite en 1163. La population parisienne s'accroissait. Sur la rive droite du fleuve, le commerce prenait un essor sans égal dans le reste de l'Europe médiévale, tandis que sur la rive gauche, l'université attirait des étudiants de nombreux pays. Entre les deux, sur une île du fleuve, se dressait la cathédrale, et l'évêque Maurice de Sully regrettait qu'elle ne fût pas plus grande.

S'y ajoutait un autre motif d'insatisfaction. L'édifice existant avait été construit dans le style que nous appelons roman, avec des arcs en plein cintre ; or un nouveau courant architectural enthousiasmant avait vu le jour qui utilisait des arcs en ogive, laissant pénétrer plus de lumière dans le bâtiment – un modèle dit aujourd'hui gothique. Ce style avait été inauguré à dix kilomètres seulement de Notre-Dame, à la basilique de l'abbaye de Saint-Denis – lieu d'inhumation des rois de France – où l'on avait brillamment associé plusieurs innovations techniques et visuelles : en plus de l'arc en ogive, on y trouvait des piliers formés de plusieurs colonnettes d'où partaient des nervures formant une haute voûte, plus légère ; un déambulatoire en demi-cercle à l'extrémité est permettait aux pèlerins de défiler devant les reliques de saint Denis, tandis qu'à l'extérieur de gracieux arcs-boutants avaient facilité le percement de plus vastes fenêtres et donnaient l'impression que cette église massive s'apprêtait à prendre son envol.

Maurice avait dû voir la nouvelle église de Saint-Denis et en tomber amoureux. Notre-Dame avait indéniablement l'air vieillotte en comparaison. Peut-être était-il même vaguement jaloux de l'abbé de Saint-Denis, qui avait encouragé deux maîtres maçons successifs à se livrer à d'audacieuses expériences, avec des résultats d'une réussite éclatante. Maurice ordonna donc que l'on abattît sa cathédrale pour la remplacer par un édifice gothique.

Permettez-moi de m'arrêter un instant. Tout ce qui précède paraît très simple, et pourtant, c'est stupéfiant. Notre-Dame de Paris et la plupart des grandes églises gothiques qui sont toujours les plus beaux monuments des villes d'Europe ont été construites au Moyen Âge, une époque marquée par la violence, la famine et les épidémies.

La construction d'une cathédrale était une entreprise gigantesque qui s'étendait sur plusieurs dizaines d'années. Celle de Chartres a été construite en vingt-six ans, celle de Salisbury en trente-huit, mais c'étaient des délais exceptionnellement courts. Notre-Dame de Paris a mis presque un siècle à voir le jour, sans compter les embellissements ultérieurs.

Il a fallu embaucher plusieurs centaines d'ouvriers, et les travaux ont coûté une fortune. L'équivalent moderne serait le lancement d'une fusée vers la lune.

Cet immense édifice a été bâti par des gens qui vivaient dans des cabanes de bois aux toits de chaume et dormaient par terre, parce que seuls les riches avaient des lits. Les tours de Notre-Dame s'élèvent à soixante-neuf mètres, mais les bâtisseurs ne possédaient pas les connaissances mathématiques nécessaires pour calculer les tensions de pareilles structures. Ils procédaient par tâtonnements, et il leur arrivait de se tromper. Dans certains cas, ce qu'ils avaient construit s'effondrait : la cathédrale de Beauvais s'est écroulée deux fois.

Nous trouvons tout naturel d'entrer dans une quincaillerie et d'acheter pour quelques euros un marteau à tête d'acier parfaitement équilibré ; en revanche, les outils des constructeurs de cathédrales étaient rudimentaires, et l'acier si cher qu'on en faisait un usage extrêmement parcimonieux et qu'on le réservait fréquemment aux pointes de lames.

Notre-Dame, comme toutes les cathédrales, était richement décorée, alors que les constructeurs étaient vêtus de tuniques grossières. La cathédrale possédait de la vaisselle et des calices, des crucifix et des chandeliers d'or et d'argent, tandis que les fidèles buvaient dans des écuelles de bois et s'éclairaient en faisant brûler du jonc, malgré la fumée qu'il répandait.

Comment cela a-t-il été possible? Comment beauté aussi majestueuse a-t-elle pu naître de la violence et de la crasse du Moyen Âge?

Ces questions trouvent un premier élément de réponse dans un facteur que les études historiques sur les cathédrales omettent presque toujours : le climat.

Les années situées entre 950 et 1250 de notre ère sont connues des météorologues sous le nom d'«optimum climatique médiéval». Pendant trois cents ans, il a fait plus chaud que d'habitude dans les régions de l'Atlantique nord. Nous le savons grâce aux anneaux de croissance des arbres, aux carottes de glace et aux sédiments lacustres, qui nous éclairent sur les changements climatiques de longue durée du passé. Si les années de mauvaises récoltes et de famine ne disparurent pas entièrement, un temps clément était le gage de récoltes plus abondantes et d'une population en meilleure santé. C'est ainsi que l'Europe émergea de la longue dépression du haut Moyen Âge, cette période que les Anglais appellent *Dark Ages*, les temps obscurs.

Chaque fois que les êtres humains réussissent à produire davantage qu'il ne leur faut pour survivre, d'aucuns s'empressent de leur confisquer l'excédent. L'Europe médiévale possédait deux groupes sociaux de ce genre, l'aristocratie et l'Église. Les nobles faisaient la guerre et, entre les batailles, allaient à la chasse pour entretenir leurs talents équestres et leurs appétits sanguinaires. L'Église construisait des cathédrales. L'évêque Maurice avait de l'argent pour réaliser son projet – au début, du moins.

Il engagea un maître bâtisseur, un homme dont nous ignorons le nom, et le chargea de concevoir un plan. Celui-ci ne fut pas dessiné sur du papier. L'art de la fabrication du papier était encore récent dans l'Europe du XIIe siècle et c'était un article de luxe. Des livres comme la Bible étaient écrits sur du parchemin, un cuir fin, coûteux lui aussi.

Les maçons traçaient leurs plans sous forme d'épures au sol. On répandait du mortier par terre et on le laissait durcir, puis on dessinait les plans avec un instrument de fer très pointu, comme un clou. Les lignes ainsi gravées apparaissaient en blanc avant de se ternir avec le temps, ce qui permettait de tracer de nouveaux plans sur les anciens. Certaines de ces épures au sol ont été conservées et j'ai pu les étudier dans les cathédrales d'York et de Wells.

Les discussions entre l'évêque Maurice et son maître maçon ont été longues, l'évêque expliquant ce qu'il voulait – une église moderne baignée de lumière – et le maçon essayant de trouver comment réaliser ce rêve. Et pourtant, ils savaient l'un comme l'autre qu'au cours de la construction, et au fil des ans, de nouvelles idées et de nouvelles personnes viendraient modifier ce projet.

Une importante partie de leurs délibérations porta certainement sur la hauteur du bâtiment à venir. Dans *Les Bâtisseurs de cathédrales*, l'historien Jean Gimpel explique que chaque ville ambitionnait de posséder l'église la plus haute :

C'est la jeune société médiévale symbolisée par la bourgeoisie qui, dans l'enthousiasme, a été saisie par cet esprit «record du monde» et qui a jeté les nefs toujours plus haut vers le ciel.

La nef de Notre-Dame s'élèverait à trente-deux mètres quatre-vingts – la plus haute du monde (mais pas pour longtemps : celle de Chartres la dépassa quelques années plus tard).

Pendant ce temps, on avait entrepris de démolir l'ancienne cathédrale. Mais ses matériaux ne furent pas mis au rebut. Les meilleures pierres furent empilées sur place pour former les fondations de la nouvelle église et l'on conserva jusqu'aux gravats : en effet, le mur d'une cathédrale est un sandwich formé de deux enveloppes de pierres de taille comblées par des débris.

On commanda plus de pierres. Il ne s'agissait pas de la célèbre «pierre de Paris» gris crème, le calcaire lutétien pour lui donner son nom technique, qui a servi à la construction du Louvre, des Invalides, des villas hollywoodiennes des milliardaires du cinéma et, aujourd'hui encore, des boutiques Giorgio Armani du monde entier. Cette roche n'a été découverte qu'au XVIIᵉ siècle et provenait de carrières situées à une quarantaine de kilomètres au nord de Paris, dans l'Oise. Au Moyen Âge, les frais de transport de la pierre pouvaient être prohibitifs. On a donc utilisé pour Notre-Dame du calcaire extrait de nombreuses carrières voisines, à la périphérie immédiate de Paris.

Le maître a réparti les pierres en fonction de leurs caractéristiques : les plus dures étaient affectées aux supports structurels nécessaires pour résister à des charges considérables, tandis qu'on réservait les plus tendres, plus faciles à sculpter, aux détails décoratifs qui n'avaient pas de poids à soutenir.

Une fois le plan tracé, il fallait que les bâtisseurs se mettent d'accord sur un système de mesure commun. La toise, la livre et la pinte n'étaient pas les mêmes partout. Aussi chaque chantier possédait-il sa propre toise, une tige de fer qui indiquait aux ouvriers quelle devait être sa longueur exacte.

À cette date, la ville de Paris avait certainement ses propres instruments de mesure normalisés, exposés près des quais, sur la rive droite de la Seine. Paris était déjà une ville marchande, la plus grande d'Europe sans doute, et il importait qu'une toise d'étoffe, une livre d'argent ou une pinte de vin soient exactement équivalentes dans toutes les échoppes de la ville, afin que les clients sachent ce qu'ils achetaient. (Il y avait aussi, certainement, des marchands qui se plaignaient de réglementations gouvernementales abusives !) Nous pouvons donc supposer que le maître maçon de Notre-Dame disposait d'une toise identique à celle des marchands de Paris.

Avec son épure au sol et sa toise à la main, le maître maçon dimensionna la forme de la cathédrale par terre, à l'endroit où s'était dressée l'ancienne église, et les travaux purent commencer.

On eut soudain besoin à Paris d'un nombre plus important d'artisans et d'ouvriers, en particulier de maçons, de charpentiers et de fabricants de mortier. Certains habitaient la ville, mais leurs effectifs n'étaient pas suffisants pour mener à bien ce nouveau projet ambitieux. Les constructeurs de cathédrales étaient en fait des nomades, qui voyageaient de ville en ville à travers l'Europe à la recherche de travail (diffusant ainsi les innovations techniques et les styles nouveaux). Lorsqu'on apprit que Paris construisait une cathédrale, ils affluèrent depuis les provinces et au-delà, d'Italie, des Pays-Bas et d'Angleterre.

Il y avait des femmes aussi bien que des hommes. Jean Gimpel, que nous avons cité plus haut, a consulté le registre fiscal de la municipalité de Paris au XIIIe siècle, et relevé plusieurs noms féminins sur la liste des artisans qui payaient des impôts. Gimpel a été le premier historien à noter le rôle des femmes dans la construction de nos grandes cathédrales. L'idée que les femmes seraient trop faibles pour effectuer ce genre de travaux est absurde, mais il est peut-être vrai que la structure du bras masculin est mieux adaptée au travail du marteau. Quoi qu'il en soit, les femmes étaient plus souvent plâtrières et fabricantes de mortier que maçonnes, maniant la masse et le ciseau. Elles travaillaient dans bien des cas au sein d'une équipe familiale composée du mari, de la femme et des aînés de leurs enfants, et l'on n'a pas de mal à imaginer que l'homme taillait la pierre et que la femme préparait le mortier, tandis que les adolescents allaient chercher et transportaient le sable, la chaux et l'eau.

La construction de presque toutes les cathédrales était une entreprise internationale. Le maître d'œuvre de la première cathédrale d'Angleterre, Canterbury, était un Français, Guillaume de Sens. Des hommes et des femmes de multiples nationalités peinaient côte à côte sur ces chantiers, et les étrangers sont en droit de considérer Notre-Dame comme leur héritage, au même titre que celui de la nation française.

C'était un travail dangereux. Dès que le mur dépassait la taille du maçon, celui-ci était obligé de travailler sur une plate-forme, qui montait en même temps que le mur. Les échafaudages médiévaux étaient des constructions précaires de branches assujetties par des cordes, et au Moyen Âge, les gens buvaient de grandes quantités de bière. Guillaume de Sens tomba de l'échafaudage de Canterbury et mourut. Il ne fut pas le seul, loin de là.

Les bâtisseurs de Notre-Dame commencèrent par l'extrémité est, comme le voulait l'usage. Celui-ci répondait à une raison pratique. Dès que le chœur était achevé, les prêtres pouvaient en effet commencer à y célébrer la messe, pendant que le reste de l'église était encore en chantier.

Mais la construction de Notre-Dame se passa mal. Nous ignorons pourquoi, encore que le manque d'argent ait été le motif de retard le plus courant. (On peut aussi évoquer parmi les autres causes les grèves, les problèmes d'approvisionnement et les effondrements.) Quand on était à court de fonds, on licenciait des artisans et les travaux se poursuivaient à marche réduite jusqu'à ce que l'argent recommence à arriver. Dix-neuf ans s'écoulèrent avant que le maître-autel ne fût consacré.

Et le chœur n'était même pas terminé, des fissures avaient été repérées dans les pierres. Le maître maçon estima que la voûte était trop lourde. Mais il trouva une heureuse solution : pour renforcer les murs, il ajouta les élégants arcs-boutants qui font aujourd'hui tout le charme de la vue du côté est, évoquant une nuée d'oiseaux qui s'élève vers le ciel.

À partir de ce moment, le travail progressa encore plus lentement. Pendant que la cathédrale de Chartres s'élevait rapidement à seulement quatre-vingts kilomètres de là, le chantier de Notre-Dame piétinait.

De nouveaux styles se firent jour. Les rosaces, une des particularités de Notre-Dame peut-être les plus admirées, furent un ajout tardif, entrepris dans les années 1240 par le premier maçon dont le nom nous soit parvenu, Jean de Chelles. Les vitraux furent fabriqués vers la fin du processus de construction, lorsque la structure fut solidement établie.

En 1250, les tours jumelles étaient en place. La dernière phase des travaux fut probablement la fonte des cloches. Comme il était pratiquement impossible de les transporter sur quelque distance que ce fût, on les fondit sur place et les bâtisseurs de Notre-Dame creusèrent probablement une fosse de coulage près de la base de la façade ouest, pour qu'elles puissent, une fois terminées, être hissées directement dans les tours.

En 1260, la cathédrale était plus ou moins achevée. Mais l'évêque Maurice était mort en 1196. Il ne vit jamais l'aboutissement de la construction de sa grande église.

Notre-Dame de Paris après la mort de l'évêque de Paris
Maurice de Sully (fin du XIIᵉ siècle)

3.

1831

À vingt-neuf ans, Victor Hugo était un poète célèbre. Dans sa jeunesse, il avait écrit deux romans, qui n'avaient cependant pas rencontré un grand succès et que peu de gens lisent aujourd'hui. En revanche, ses pièces avaient fait sensation. *Marion de Lorme* fut interdite par la censure et *Hernani* provoqua un tel scandale qu'il y eut des émeutes à la Comédie-Française.

Hugo incarnait un des camps d'une controverse littéraire, le conflit entre classiques et romantiques. Pour les lecteurs modernes, cette querelle paraît aussi vaine que le débat médiéval sur le nombre d'anges susceptibles de danser sur la tête d'une épingle ; il n'empêche que, dans le Paris du XIXe siècle, elle échauffa suffisamment les intellectuels pour qu'ils en viennent aux mains. Hugo était considéré comme un représentant des romantiques.

Paradoxalement, le jeune poète avait des idées politiques conservatrices. Né à la suite de la Révolution française, il souhaitait la restauration de la monarchie. Rejetant toute religion, les révolutionnaires avaient transformé Notre-Dame en «temple de la Raison» et avaient vénéré sa déesse, souvent représentée sous les traits d'une femme drapée de façon suggestive du bleu, blanc, rouge du drapeau français; mais le jeune Hugo croyait, lui, à l'autorité de l'Église catholique et alla jusqu'à fonder une revue baptisée *Le Conservateur littéraire*.

La Liberté guidant le peuple *d'Eugène Delacroix*

Il changea, néanmoins. «Mon ancienne conviction royaliste et catholique de 1820 s'est écroulée pièce par pièce depuis dix ans devant l'âge et l'expérience», écrit-il dans *Choses vues*. Il rédigea une courte œuvre semi-romanesque intitulée *Le Dernier Jour d'un condamné*, compte rendu remarquablement compatissant des dernières heures d'un homme condamné à mort, inspiré par le sort d'un assassin réel. Il prenait peu à peu conscience que la société française pouvait être dure et cruelle, et son imagination était de plus en plus peuplée par les laissés-pour-compte : prisonniers, orphelins, infirmes, mendiants et meurtriers. Et, comme tout romancier, il brûlait de transformer ses obsessions en histoires. Il s'approchait à grands pas de la critique sociale qui, trente ans plus tard, donnerait naissance à son chef-d'œuvre, *Les Misérables*.

Il avait accepté, longtemps auparavant, une avance d'un éditeur pour un roman historique situé à Paris et avait déjà effectué de nombreuses recherches; mais il ne cessait de repousser le moment de prendre la plume. Son éditeur fut d'abord indulgent, comme ils le sont d'ordinaire, puis il finit par se montrer plus insistant, comme ils le font d'ordinaire.

Le 1ᵉʳ septembre 1830, Hugo s'assit pour écrire le chapitre premier. « Il s'acheta une bouteille d'encre et un gros tricot de laine grise qui l'enveloppait du cou à l'orteil, raconta sa femme, mit ses habits sous clef pour n'avoir pas la tentation de sortir, et entra dans son roman comme dans une prison. » (Les écrivains s'emmitouflent souvent dans de la laine, c'est un fait ; comme nous restons assis toute la journée, nous avons facilement froid.)

Quand la mi-janvier 1831 arriva, le livre était, le croira-t-on, terminé. Hugo avait écrit près de cent quatre-vingt mille mots en quatre mois et demi. Et ce livre était très, très bon.

Situé en 1482, il porte le même nom que la cathédrale, *Notre-Dame de Paris*. Il a pour héroïne Esmeralda, une séduisante bohémienne qui danse dans la rue pour quelques sous. Les trois autres personnages principaux sont des hommes qui tombent amoureux d'elle : l'étudiant désargenté Pierre Gringoire, l'archidiacre hautain Claude Frollo et le sonneur de cloches difforme Quasimodo.

Les critiques furent médiocres, mais le public était emballé et l'ouvrage fut rapidement traduit dans d'autres langues. L'édition anglaise s'appelait *The Hunchback of Notre-Dame*, « Le Bossu de Notre-Dame », un titre plus accrocheur. Et Hugo devint mondialement célèbre.

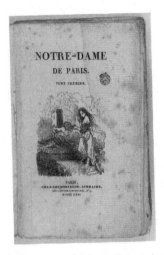

Page de couverture de Notre-Dame de Paris,
avec une vignette de Tony Johannot,
Paris, Gosselin éditeur, 1831

Hugo admirait l'œuvre de Walter Scott, que l'on présente souvent comme le père du roman historique ; cela ne l'empêcha cependant pas de remarquer dans une critique de *Quentin Durward* que ce genre offrait davantage de possibilités. Il n'allait pas jusqu'à prétendre pouvoir écrire mieux que Scott, mais il le pensait sûrement et, à mon sens, il avait raison. Jamais il n'aurait couché sur le papier une phrase telle que celle-ci, tirée presque au hasard de *Waverley* de Scott :

Le salon de Flora MacIvor était meublé avec la plus grande simplicité; car, à Glennaquoich, on avait, autant que possible, supprimé toute autre espèce de dépense, afin de maintenir dans toute sa grandeur l'hospitalité du chieftain, *pour multiplier et retenir le nombre de ses vassaux et de ses partisans.*

Hugo préférait prendre pour modèle l'écriture d'Homère, l'auteur de *L'Iliade* et de *L'Odyssée*, œuvres capitales de la littérature grecque. Et il conçut des textes d'une couleur, d'une grandeur et d'une passion à côté desquels Walter Scott fait, selon moi, pâle figure.

Notre-Dame de Paris entraîne le lecteur dans le milieu des truands dont Hugo décrit la saleté et la violence avec un mélange de répulsion et de délectation qui fait irrésistiblement songer à son contemporain, Charles Dickens. Cette fascination pour la pègre rencontra un immense succès auprès des lecteurs, et fit des émules. *Les Mystères de Paris*, le roman à sensation d'Eugène Sue, connut à court terme une plus grande popularité que celui d'Hugo. Le livre de Sue fut publié sous forme de feuilleton, en cent cinquante épisodes, à la une du *Journal des débats*. Il s'empara de l'imagination de la nation; on en faisait la lecture tout haut dans les usines et les bureaux, dans les cafés et dans les bars. Il ne possédait cependant pas les qualités intemporelles de l'ouvrage d'Hugo, et on ne le lit plus guère aujourd'hui.

Plusieurs personnages d'Hugo sont d'un pittoresque si extravagant qu'il frôle dangereusement l'absurde. En plus de ceux que nous avons déjà mentionnés, nous rencontrons ainsi Clopin Trouillefou, le brutal roi des truands, sœur Gudule, la recluse qui vit volontairement emmurée pendant des années, le juge Florian Barbedienne qui prononce des jugements au petit bonheur la chance parce qu'il est sourd comme un pot et n'a pas la moindre idée de ce qui se passe dans son tribunal, et Jehan Frollo, irrémédiablement dissolu.

Au XXIe siècle, nous estimons que les gens qui s'écartent de la norme ne doivent pas être définis par leur altérité, mais considérés dans leur globalité. Les romanciers n'ont jamais travaillé ainsi : ils préfèrent exploiter les différences pour exprimer la personnalité. Shylock et Fagin sont définis par leur judéité, le capitaine Crochet et Blind Pugh par leur infirmité ; et la liste des personnages caractérisés par leur orientation sexuelle est presque infinie : Maurice de E.M. Forster, Carol de Patricia Highsmith, Renly Baratheon de George R.R. Martin, Pussy Galore de Ian Fleming et bien d'autres encore.

Quasimodo, lui, est défini par sa laideur.

Il était méchant en effet, parce qu'il était sauvage ; il était sauvage parce qu'il était laid.

Pour raconter cette histoire incroyablement colorée de confrontations acerbes et de crises incessantes, Hugo a conçu un style d'une vivacité et d'une puissance extraordinaires, assez musclé pour supporter le poids de tout ce mélodrame. Les plus grands romanciers, et les plus populaires, de Jane Austen à Ian Fleming, ont souvent créé une prose tout à fait personnelle, inventée sur mesure pour le matériau de leurs histoires.

La qualité de l'écriture d'Hugo est bien illustrée dans ce passage où il imagine, avec une étrange prémonition, un incendie à Notre-Dame :

Tous les yeux s'étaient levés vers le haut de l'église. Ce qu'ils voyaient était extraordinaire. Sur le sommet de la galerie la plus élevée, plus haut que la rosace centrale, il y avait une grande flamme qui montait entre les deux clochers avec des tourbillons d'étincelles, une grande flamme désordonnée et furieuse dont le vent emportait par moments un lambeau dans la fumée. Au-dessous de cette flamme, au-dessous de la sombre balustrade à trèfle de braises, deux gouttières en gueules de monstres vomissaient sans relâche cette pluie ardente qui détachait son ruissellement argenté sur les ténèbres de la façade inférieure. À mesure qu'ils approchaient du sol, les deux jets de plomb liquide s'élargissaient en gerbes, comme l'eau qui jaillit des mille trous de l'arrosoir. Au-dessus de la flamme les énormes tours, de chacune desquelles on voyait deux faces crues et tranchées, l'une toute noire, l'autre toute rouge, semblaient plus grandes encore de toute l'immensité de l'ombre qu'elles projetaient jusque dans le ciel. Leurs innombrables sculptures de diables et de dragons prenaient un aspect lugubre. La clarté inquiète de la flamme les faisait remuer à l'œil. Il y avait des guivres qui avaient l'air de rire, des gargouilles qu'on croyait entendre japper, des tarasques qui éternuaient dans la fumée.

Personne n'avait jamais rien écrit de tel.

Le roman que Notre-Dame a inspiré à Hugo a engendré au moins treize adaptations cinématographiques, cinq séries télévisées, cinq pièces de théâtre, quinze comédies musicales, cinq ballets, deux feuilletons radiophoniques de la BBC et un jeu vidéo, si l'on en croit Wikipédia. Peut-être en existe-t-il bien d'autres. Le film le plus remarquable sans doute est la version en noir et blanc de 1939 avec Charles Laughton dans le rôle de Quasimodo. Je me rappelle l'avoir vu chez quelqu'un quand j'étais petit, sur un minuscule téléviseur des années 1960, et avoir été pétrifié d'effroi.

Le roman d'Hugo a parcouru le monde ; mais il a fait plus encore.

Les romanciers du XIXe siècle n'éprouvaient aucun scrupule à interrompre leur récit pour introduire de longs passages de descriptions et d'opinions sans lien flagrant avec l'action. *Notre-Dame de Paris* en contient un certain nombre, dont les plus passionnés sont consacrés à la cathédrale.

Hugo écrivait ainsi au début du livre troisième :

Sans doute c'est encore aujourd'hui un majestueux et sublime édifice que l'église de Notre-Dame de Paris. Mais, si belle qu'elle se soit conservée en vieillissant, il est difficile de ne pas soupirer, de ne pas s'indigner devant les dégradations, les mutilations sans nombre que simultanément le temps et les hommes ont fait subir au vénérable monument…

Hugo en était contrarié. Notre-Dame avait été gravement maltraitée au cours de la Révolution française et par la suite. Ses statues avaient été endommagées et sa nef avait servi d'entrepôt de céréales.

Les descriptions dithyrambiques d'Hugo, bouleversé par la beauté de Notre-Dame, et ses protestations outragées à propos de son état d'abandon émurent les lecteurs de son livre. Ce best-seller mondial attira touristes et pèlerins vers

la cathédrale, et le bâtiment délabré qu'ils décou-
vrirent fit honte à la ville de Paris. L'indignation
d'Hugo fut contagieuse. Le gouvernement
décida d'agir.

On organisa un concours pour choisir le spécialiste qui serait chargé de superviser la rénovation
de la cathédrale. La proposition retenue était le
fruit de la collaboration de deux jeunes archi-
tectes. L'un mourut subitement, mais l'autre
accepta de relever le défi. Il s'appelait Eugène
Viollet-le-Duc.

Il avait trente ans quand il décrocha ce travail,
et en aurait cinquante avant son achèvement.

4.

1844

Eugène Viollet-le-Duc

Viollet-le-Duc était issu d'une famille impré-
gnée de culture. Son grand-père était architecte ;
son oncle, peintre, avait été l'élève du grand

David ; quant à son père, il était conservateur des résidences royales.

Durant toute sa vie d'adulte, Viollet-le-Duc visita des bâtiments médiévaux, en fit de superbes dessins et théorisa sur l'architecture. Ses écrits et ses dessins sont rassemblés dans l'*Encyclopédie médiévale*, un gros volume regorgeant de détails et d'idées. Il collabora avec son mentor, Prosper Mérimée, pour la restauration de nombreux bâtiments, dont la Sainte-Chapelle, une église royale construite à peu près à la même époque que Notre-Dame sur l'île de la Cité.

Il adorait son travail. Rétrospectivement, il affirma : « Nos heures de travail étaient les meilleurs moments de notre journée. » Passionné d'architecture médiévale, il idolâtrait Notre-Dame de Paris. Personne au monde n'était plus qualifié pour en entreprendre la rénovation.

Il commença par faire un relevé méticuleux des parties qui exigeaient des réparations, avec un code couleur indiquant l'emplacement et la nature de chaque pierre.

Des ouvriers entreprirent alors de retirer les pierres abîmées. Les statues qui surmontaient les portails de la façade ouest avaient été décapitées pendant la Révolution et il y en avait plus de soixante à remplacer. D'autres détails décoratifs comme des gargouilles et des chimères avaient été brisés.

Au fur et à mesure qu'on les descendait, Viollet-le-Duc faisait des croquis de ce qui en restait, manifestant un talent de dessinateur minutieux qui reflétait sans doute sa nature intime. Je suis le fier possesseur d'un de ces dessins. Il représente un corbeau, une pierre saillante servant de support au fût d'une colonne, sculpté en forme de tête de monstre imaginaire.

Eugène Viollet-le-Duc, « Croquis d'une décoration de corbeau pour la restauration de Notre-Dame de Paris », 1848

Il exploita aussi la photographie, une toute nouvelle technologie, pour réaliser des daguerréotypes.

Lorsqu'il ne restait plus rien que des espaces dénudés, il s'inspirait de dessins et de photographies d'autres cathédrales médiévales pour concevoir les éléments d'architecture susceptibles de se substituer à ceux qui avaient disparu. Il dessina des fenêtres gothiques pour résoudre le problème des vitraux brisés sous la Révolution.

Viollet-le-Duc remplaça les cloches fondues à la même période pour faire des canons. (Le gros bourdon, Emmanuel, avait survécu.) Il installa dans la tour nord une nouvelle structure en bois, plus solide ; et c'est dans cette tour qu'en ce 15 avril mon regard horrifié a cru apercevoir des flammes. Des récits ultérieurs ont affirmé que le feu avait été éteint juste à temps par de courageux pompiers qui avaient grimpé sur la tour au péril de leur vie.

Viollet-le-Duc rassembla une équipe de maçons, de charpentiers, de sculpteurs et de vitriers qualifiés pour réparer ou reproduire la maçonnerie dégradée.

Son objectif était de rendre à la cathédrale son aspect d'origine, mais il ne fut pas assez rigoureux pour satisfaire les critiques les plus conservateurs. Ses gargouilles n'étaient pas très médiévales, regrettèrent-ils, et les chimères – des animaux

*Cette photographie appartient au Museum of History
of Science d'Oxford*

monstrueux – qu'il créa pour orner le toit ne ressemblaient à rien de ce qu'on pouvait trouver ailleurs dans l'église. Le déambulatoire et ses chapelles étaient, déclara-t-on, surchargés de décors, un curieux reproche à faire à une cathédrale gothique, un peu comme si on regrettait qu'une robe de soirée soit trop jolie. Quant à la rosace sud restaurée, il avait, apparemment, inversé le sens de certaines figures.

Pis encore, la nouvelle flèche était résolument moderne.

La cathédrale médiévale avait possédé une tour centrale couronnée d'une flèche. Victor Hugo avait décrit «ce charmant petit clocher», bien qu'il ne l'ait jamais vu : cette tour avait été démontée avant sa naissance. Il consacra des lignes courroucées à l'architecte qui l'avait retirée, mais, selon toute vraisemblance, elle était fragile et un fort coup de vent risquait de la faire tomber.

À ma connaissance, il n'existe aucune description fiable de la tour d'origine, dont on n'a conservé que deux croquis. En tout cas, le projet de Viollet-le-Duc ne cherchait pas à imiter une tour médiévale, ce qui fut le grief le plus acerbe de ses détracteurs. Il préféra créer une nouvelle flèche sur le modèle d'un élément similaire récemment ajouté à la cathédrale d'Orléans. Des statues de

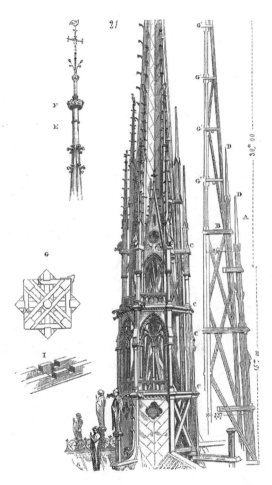

Dessin de Viollet-le-Duc de sa flèche pour Notre-Dame

La flèche de Notre-Dame en construction, vers 1860

trois apôtres en ornaient la base, et l'on prétendit que le visage de saint Thomas présentait une ressemblance frappante avec celui de Viollet-le-Duc lui-même.

Les critiques ne firent aucun tort à celui-ci, qui resta jusqu'à la fin de sa vie le spécialiste incontesté de son domaine. On le consulta pour la réparation et la rénovation de dizaines d'édifices et il consacra de nombreux écrits aux théories de l'architecture. Son énergie était apparemment inépuisable. Âgé de plus de soixante ans, il fut élu au conseil municipal de Paris. Il mourut à soixante-cinq ans après avoir passé l'été à faire de la randonnée dans les Alpes.

La consécration de Notre-Dame de Paris,
après la restauration d'Eugène Viollet-le-Duc, 1864

5.

1944

La chapelle Saint-Joseph se situe du côté sud de la nef, à mi-chemin entre l'entrée de la cathédrale et le transept. En 1944, elle abritait une statue de Joseph tenant l'Enfant Jésus dans ses bras. Le 26 août, le matin qui suivit la libération de Paris, une messe fut dite en anglais dans cette chapelle par un prêtre américain à lunettes, le père Leonard Fries, qui portait des vêtements liturgiques français d'emprunt.

Cette chapelle mesure moins de douze mètres carrés et contenait un autel en plus de la statue, ce qui n'empêcha pas trois cents hommes, pour la plupart des membres du 12ᵉ régiment d'infanterie de l'US Army, tous armés de carabines ou de fusils et tenant leur casque à la main, d'assister à l'office. Ils se répandaient dans l'allée et dans la nef de la grande cathédrale. Lorsque le soleil se leva dans un ciel sans nuages et étincela à travers les vitraux de l'extrémité est, certains de ceux qui avaient libéré Paris s'agenouillèrent en hommage à leurs camarades tombés sur les plages de Normandie.

C'était la première messe de la journée, mais il y en aurait une autre, nettement plus solennelle. Ce matin-là, la radio annonça que le général de Gaulle prendrait la tête d'un défilé de la victoire sur les Champs-Élysées à 14 heures et assisterait à une messe d'action de grâces avec *Te Deum* dans la cathédrale Notre-Dame à 16 h 30.

Chef du gouvernement français en exil, de Gaulle était décidé à devenir le nouveau dirigeant du pays libéré, mais sa légitimité était discutable. Il était en désaccord avec les chefs de la Résistance restés en France pour combattre les Allemands sur place, pendant que lui-même résidait au Connaught Hotel de Londres. À présent, il était résolu à se poser en président *de facto*. Quand Napoléon s'était couronné empereur des Français le 2 décembre 1804, il avait choisi de le faire à Notre-Dame. Et de Gaulle savait que s'il voulait s'affirmer comme le nouveau chef d'État de la France, il devait le faire à Notre-Dame.

L'annonce unilatérale de ce défilé de la victoire irrita considérablement les Alliés. Paris n'était pas encore sûr. Il restait des soldats allemands dans la ville. Le général américain Gerow avait ordonné à la 2ᵉ division blindée française, la 2ᵉ DB, de protéger les faubourgs sud-est contre une éventuelle contre-attaque allemande, mais on lui apprit que de Gaulle, au mépris de la chaîne de commandement, avait réquisitionné cette unité pour son défilé.

Contrecarrant les plans de la Résistance et du commandement allié, de Gaulle obtint sa parade.

Il n'avait pas non plus demandé l'autorisation de faire dire une messe dans la cathédrale, mais le cardinal Emmanuel Suhard, archevêque de Paris, ne fut qu'une des autorités contraintes de s'effacer devant la force irrépressible de la volonté de De Gaulle.

À peu près au même moment, le général Jodl en Allemagne téléphonait au groupe d'armées B à Margival en France et demandait qu'on lui passe le feld-maréchal Model. Comme celui-ci était absent du bunker souterrain, Jodl parla au général Speidel. Répétant les instructions personnelles d'Hitler, Jodl ordonna une attaque massive de missiles V contre Paris cette nuit-là.

Speidel ne transmit jamais le message. Une semaine plus tard, il était arrêté par la Gestapo.

De Gaulle fut en retard pour le défilé, mais personne n'en prit ombrage. Il arriva à 15 h 10 à l'Arc de triomphe. Se comportant comme s'il était déjà chef d'État, il ranima la flamme éternelle et déposa une couronne de glaïeuls rouges sur la tombe du soldat inconnu. Puis il se retourna et contempla les Champs-Élysées.

Des milliers de Parisiens, des dizaines de journalistes et plusieurs cameramen des actualités cinématographiques l'attendaient. D'un bout à l'autre de la large avenue, jusqu'à l'obélisque, les spectateurs se bousculaient sur les trottoirs, grimpaient aux marronniers, se penchaient aux fenêtres et aux balcons et se tenaient même sur les toits, agitant drapeaux et banderoles.

Un groupe de plusieurs centaines d'hommes et de femmes se frayèrent un chemin à travers la foule jusqu'à la chaussée, vêtus de costumes du XVIIe siècle, les femmes drapées de bleu, blanc, rouge, buste dénudé à l'image de la déesse de la toile de Delacroix. Ayant fait passer leur message, quel qu'il fût, ils repartirent comme ils étaient venus.

Avant de commander au cortège de se mettre en branle, de Gaulle donna une dernière instruction capitale : il fit savoir à ceux qui l'entouraient qu'il conviendrait qu'ils restent au moins un pas derrière lui pendant tout le défilé.

Puis, s'étant ainsi clairement affirmé comme le héros du jour, il partit en tête de la procession.

Ayant atteint la place de la Concorde, de Gaulle s'approchait d'une Hotchkiss décapotable – une voiture de luxe de fabrication française – qui l'attendait pour le conduire à Notre-Dame, quand on entendit des coups de feu.

Des milliers de spectateurs se jetèrent à plat ventre ou s'abritèrent derrière les véhicules de la 2ᵉ DB. Des brancardiers vêtus de blanc se précipitèrent dans la foule pour s'occuper des victimes.

Personne ne savait qui tirait. C'étaient probablement des Allemands restés dans la ville, mais il pouvait aussi s'agir de combattants de la Résistance furieux de ne pas être en tête du cortège, ou encore de communistes hostiles à la prise de pouvoir par de Gaulle.

Celui-ci demeura impavide. Il ne se baissa pas, ne se mit pas à couvert et n'interrompit même pas sa progression majestueuse. Il aurait très bien pu se faire tuer, et était manifestement prêt à risquer sa vie en cet instant crucial de sa carrière et de l'histoire de France. Il monta dans la voiture découverte, donna ordre au chauffeur de démarrer et parcourut tout le chemin jusqu'à l'île de la Cité sans protection, adressant des saluts à la foule.

Ce fut un chef-d'œuvre de théâtre politique. Intrépide, digne et résolu – et mesurant de surcroît 1,93 mètre –, de Gaulle apparaissait comme l'homme de la situation, celui qui saurait mener à bien le redressement de la France d'après-guerre. En l'espace de quelques heures, des images filmées et des photographies de son numéro d'acteur firent le tour du monde.

Quand il arriva devant la cathédrale Notre-Dame, de nouveaux coups de feu retentirent. Des tireurs étaient embusqués dans la tour nord.

Les soldats de la 2e DB réagirent en arrosant de balles la tour et le toit, arrachant des fragments de calcaire aux statues si soigneusement restaurées par Viollet-le-Duc. De Gaulle, toujours impassible, descendit de voiture et reçut un bouquet – des fleurs bleues, blanches et rouges – des mains d'une petite fille effrayée mais courageuse. Puis il entra dans la cathédrale par le portail du Jugement dernier.

La plupart des fidèles étaient allongés par terre tandis que des coups de feu résonnaient dans la nef. «On voit plus de derrières que de visages», constata un témoin. De Gaulle ne pressa pas le pas. Sa place se trouvait soixante mètres plus loin, au bout de la nef, une distance qu'il franchit avec une lenteur majestueuse.

Quand il rejoignit son siège, le général Koenig, commandant des Forces françaises de l'intérieur, cria à l'assemblée : «Levez-vous!»

Le prêtre entonna alors les premiers mots du *Magnificat* : «Mon âme exalte le Seigneur.»

Et les voix du peuple de Paris résonnèrent dans toute la nef.

6.

1989

Chaque année, des millions de visiteurs se pressent dans Notre-Dame et d'autres cathédrales. Ce sont les plus vieux édifices de l'Europe du Nord-Ouest. Il en existe de plus antiques ailleurs dans le monde – les ruines romaines, les temples grecs, les pyramides d'Égypte –, mais je pense que nos cathédrales sont les plus anciens qui continuent à remplir leur mission initiale.

Les cathédrales ont toujours attiré les touristes. Les visiteurs d'aujourd'hui ne viennent pas seulement d'Europe, mais aussi du Japon, des États-Unis ou d'Inde. Quand ils regardent nos cathédrales, que pensent-ils?

La révélation se fait souvent à distance. Comme à Chartres, les tours de l'église surgissent à l'horizon alors que nous en sommes encore à plusieurs kilomètres. Le visiteur médiéval devait être frappé de stupeur à cette vue, ce qui était exactement l'effet voulu.

Puis nous nous approchons, et c'est bien souvent un sentiment de confusion qui nous envahit. L'image que nous découvrons est si compliquée qu'elle dépasse notre entendement. C'est un peu comme la première écoute d'une symphonie de Beethoven. Les mélodies, les rythmes, les instruments et les harmonies sont si nombreux que, dans un premier temps, nous sommes incapables d'établir des liens, de comprendre les corrélations. La logique nous échappe. Une cathédrale, comme une symphonie, possède un plan logique, ses fenêtres et ses arcs forment des rythmes, ses décorations ont des thèmes et racontent des histoires, mais l'ensemble est d'une telle richesse que nous nous sentons d'abord écrasés.

Tout change dès que nous entrons. La plupart des gens éprouvent alors une sensation de quiétude. La fraîcheur, les vieilles pierres, la répétition régulière des éléments d'architecture et la manière dont l'ensemble du bâtiment semble s'élever vers le ciel, tout concourt à apaiser l'âme humaine.

Une fois dans la cathédrale, nous commençons généralement par acheter un guide. Il nous révélera peut-être qu'il y avait là un lieu de culte avant l'invention du christianisme. Le site de

Notre-Dame était occupé par un temple dédié au dieu romain Jupiter.

Nous apprenons souvent qu'à la différence d'un gratte-ciel ou d'un centre commercial modernes, l'église n'a pas été construite en une fois. Nous découvrons que les premiers chrétiens se rassemblaient dans une église de bois, dont il ne reste rien. Notre-Dame est la cinquième église bâtie sur cet emplacement.

La construction d'une église plus récente a fréquemment suivi l'incendie de la précédente. Il a pu arriver au chapitre d'être à court d'argent, ce qui a pu interrompre les travaux pendant parfois des décennies, voire un siècle.

À la fin de la visite d'une cathédrale, avec un peu de chance, notre impression de confusion aura disparu. Nous disposons à présent d'informations sur le processus qui a abouti par étapes à la construction de l'église. Les arcs et les fenêtres nous apparaissent comme des solutions à des problèmes techniques en même temps que comme des œuvres d'art. Nous avons peut-être commencé à nous initier à l'iconographie, la méthode d'interprétation qui transforme en récits bibliques des statues d'anges et de saints anonymes apparemment identiques. Comprendre les groupes de statues qui surmontent un portail se rapproche du déchiffrage d'un tableau de Picasso. Nous disons : «Ah oui, bien sûr, c'est forcément saint Étienne», comme nous pouvons dire après avoir observé un Picasso pendant un moment : «Bien sûr, c'est son coude qui sort de sa tête.»

Mais nous nous posons encore plus de questions.

Les lecteurs demandent parfois : Comment savez-vous autant de choses sur les bâtisseurs du Moyen Âge? Nos informations viennent en partie des tableaux. Quand les artistes médiévaux illustraient des bibles, ils représentaient fréquemment la tour de Babel. L'histoire racontée dans la Genèse est que les hommes décidèrent de bâtir une tour qui monterait jusqu'au ciel et que leur arrogance déplut à Dieu qui les condamna à parler tous des langues différentes. La confusion fut alors telle qu'il fallut abandonner le projet. Ces illustrations, qui montrent des tailleurs de pierre et des fabricants de mortier, des échafaudages et des palans, nous livrent une foule de détails sur les chantiers médiévaux.

Parmi les autres sources d'information sur les bâtisseurs de cathédrales figurent les documents écrits qui sont parvenus jusqu'à nous, contrats entre le chapitre et les bâtisseurs, par exemple, ou registres de paye. Un des livres qui m'a poussé à écrire *Les Piliers de la Terre* est *Les Bâtisseurs de cathédrales* de Jean Gimpel, que j'ai mentionné plus haut. Quand j'ai commencé à travailler sur *Les Piliers*, j'ai eu envie de prendre contact avec Gimpel et de lui demander de bien vouloir être mon conseiller historique pour ce roman. Sachant que les Gimpel sont une célèbre famille française de galeristes, je supposais qu'il vivait à Paris. En réalité, non seulement il vivait à Londres, mais il habitait dans ma rue. Il a accepté de faire partie de mes conseillers pour *Les Piliers* et ne m'a demandé qu'une caisse de champagne en contre-partie. Nous sommes devenus amis et adversaires de ping-pong ; il me battait toutes les semaines.

En janvier 1986, quand j'ai commencé *Les Piliers*, j'ai voulu comprendre, pour moi, et expli-quer, pour mes lecteurs, comment et pourquoi les cathédrales médiévales avaient été construites et pour quelles raisons elles présentaient cet aspect. J'espère que *Les Piliers* montrent que la construc-tion d'une cathédrale servait les intérêts personnels des principaux groupes de pouvoir de la société médiévale : la monarchie, l'aristocratie, le clergé, les marchands, les citadins et les paysans. Si certains s'opposent à cette construction, c'est uniquement parce qu'ils souhaitent qu'elle se fasse ailleurs.

En mars 1989, j'ai écrit «Fin» sur la dernière page des *Piliers de la Terre*. J'avais mis trois ans et trois mois à rédiger ce livre, et mes réflexions avaient duré bien plus longtemps.

Je n'ai pas été le premier auteur inspiré par les cathédrales. Victor Hugo est le plus grand, à mon sens. Anthony Trollope a fait de la cathédrale fictive de Barchester le cœur d'une série de six romans, *Les Chroniques du Barsetshire*. William Golding a obtenu le prix Nobel pour une œuvre qui comprend *La Nef*, l'histoire hallucinante de l'obsession d'un prêtre qui tient à construire une flèche de cent vingt mètres au sommet d'une cathédrale dont les fondations ne sont pas solides. T.S. Eliot a consacré une pièce en vers, *Meurtre dans la cathédrale*, à l'assassinat en 1170 de Thomas Becket, archevêque de Cantorbéry. Raymond Carver a signé une nouvelle appelée en anglais *Cathedral* («Les vitamines du bonheur» en français), mettant en scène un aveugle qui dessine une cathédrale, tandis que Nelson DeMille a écrit un thriller, intitulé lui aussi *Cathedral*, sur la prise de la cathédrale Saint-Patrick sur la Cinquième Avenue de New York par l'IRA.

Chacun de nous a été ensorcelé par autre chose. J'ai vu dans la construction d'une cathédrale le type d'entreprise collective qui s'empare de l'imagination de toute une société. Une cathédrale est une œuvre d'art, mais elle n'a jamais été l'invention personnelle d'un seul individu. Bien qu'un maître maçon ait toujours été présent pour dessiner les plans de base, il s'est appuyé pour les travaux de détail sur une petite armée d'artistes et d'artisans, qui avaient tous un talent bien à eux et puisaient dans leur propre imagination. Il se rapprochait à certains égards d'un producteur de cinéma, qui dirige les acteurs, les scénaristes, les décorateurs, les costumiers, les maquilleurs et les éclairagistes et essaie d'obtenir d'eux ce que leur génie a de meilleur à offrir. À mon sens, la cathédrale montre ce que les humains peuvent réaliser quand ils travaillent ensemble.

De surcroît, de telles œuvres d'art n'auraient pu voir le jour si des milliers de gens n'avaient pas soutenu ces projets. C'était l'œuvre d'une communauté entière. Dans *Les Piliers*, j'ai raconté comment la construction de la cathédrale attirait des gens de toutes les couches de la société médiévale : non seulement le clergé, mais des aristocrates, des entrepreneurs, des citadins et des agriculteurs. Ils apportèrent soutien et argent, beaucoup d'argent. Tout le monde en bénéficia. Des emplois furent créés, le commerce prit de l'essor, des marchés se développèrent, la migration internationale fut stimulée et l'on ne cessa d'inventer et de répandre de nouvelles technologies.

J'ai comparé la construction d'une cathédrale au lancement d'un engin spatial. Elle impliquait pareillement l'intégralité de la société, favorisait l'invention de technologies de pointe, apportait d'importants bénéfices économiques – et pourtant, quand on fait l'addition de toutes ces raisons pragmatiques, elles ne suffisent pas tout à fait à expliquer pourquoi on s'est engagé dans pareille aventure. S'y ajoute un autre élément, celui du spirituel, l'aspiration humaine à quelque chose qui dépasse la vie matérielle. En observant chaque groupe de Kingsbridge défendre ses intérêts personnels, vous ne voyez qu'une partie du tableau. *Les Piliers* expliquent aussi que la construction se faisait également pour la gloire de Dieu.

Il y a quelque temps, j'étais sur le toit de la cathédrale de Peterborough. Certains des pinacles ont été remplacés dans les années 1950 et j'ai remarqué que les nouveaux étaient grossiers, qu'ils manquaient de finesse par rapport aux éléments médiévaux richement décorés qui les avoisinaient. La différence n'était pas visible depuis le pied de l'édifice, et les artisans des années 1950 n'avaient probablement pas jugé utile de sculpter des éléments que personne ne pourrait voir. Les bâtisseurs médiévaux ne leur auraient pas donné raison. Ils réalisaient les parties cachées aussi soigneusement que celles qui étaient exposées aux yeux du public parce que, après tout, Dieu pouvait les voir.

Un journaliste m'a demandé : «Vous ne détestez pas tous ces touristes en short, avec leurs appareils photo?» Non. Les cathédrales ont toujours été pleines de touristes. Au Moyen Âge, on ne leur donnait pas ce nom, c'étaient des pèlerins, mais ils voyageaient essentiellement pour les mêmes raisons : pour voir le monde et ses merveilles, pour élargir leur horizon, pour s'instruire et, peut-être, pour entrer en contact avec quelque chose de miraculeux, de mystique, d'éternel.

Je crois qu'un roman est réussi dans la mesure où il provoque l'émotion du lecteur. Il en va peut-être de même de toutes les œuvres d'art. C'est indéniablement le cas des cathédrales. Nos rencontres avec elles sont du registre de l'émotion. Quand nous les voyons, nous sommes muets d'admiration. Quand nous en faisons le tour, nous sommes ensorcelés par leur grâce et leur lumière. Quand nous nous y asseyons en silence, un sentiment de paix nous envahit.

Et quand l'une d'entre elles brûle, nous pleurons.

Écrit entre le 19 et le 30 avril 2019
à Knebworth, Angleterre

Remerciements

La première version de ce texte a été lue et utilement commentée par John Clare, Barbara Follett et l'équipe française – Cécile Boyer-Runge, Claire Do Sêrro, Maggie Doyle et Marine Alata – aux éditions Robert Laffont. Merci à tous.

Crédits des illustrations

p. 21 : Saint évêque, c. 1425 de Fra Angelico, église San Domenico, Fiesole, Italie
© Metropolitan Museum of Art, New York, USA/Bridgeman Images

p. 34 : © AKG Images/De Agostini/Biblioteca Ambrosiana

p. 36 : La liberté guidant le peuple, 28 juillet 1830, c.1830-31 d' Eugène Delacroix
© Louvre-Lens, France/Bridgeman Images

p. 39 : © Carole Rabourdin/Bibliothèque de la maison de Victor Hugo/Roger-Viollet

p. 47 : © Franck/Tallandier/Bridgeman Images

p. 49 : collection particulière

p. 51 : © Museum of the History of Science, Broad Street, Oxford, England

p. 53 : collection particulière

p. 54 : © Musée Carnavalet/Roger-Viollet

p. 55 : © Granger/Bridgeman Images

p. 61 : The Imperial War Museums collection

Table

2019.. 11
1163.. 21
1831.. 35
1844.. 47
1944.. 57
1989.. 65

Remerciements.. 75
Crédits des illustrations 77